위험한 편의점

945 Presents | The Dangerous Convenience Store

Contents

Chapter

10

대신,
버릴 거라면 정확히 해.

그 전까지
봐줄 생각 없으니까.

아저씨는
그렇게 말하곤
먼저 자리를 떴다.

그리고 나는,

다리가 풀릴 것 같아
조금 더 오래
그 자리에 서 있었다.

형.

형, 괜찮아요?

아.

이런,
죄송해요 형.

이만
가봐야겠어요.

어?
어딜 가는데?

아시면서.

저 여자친구
만나러 가야죠.

뭐어-???

두 사람을
좋아할 수도 있다는 거,
이해해줘서 고마워요.

그래도 형을
더 좋아하는 거
알죠?

뭐야-?!!!

꿈

뻑

───…

────…

…이번엔
C 회사 소식이 있네요.

…그리고 보니
C 회장의 건강에
차도가 있나요?

아,

콜록

의식 불명 상태다,
이미 죽었다 등 갖은 루머가
돌고 있기는 합니다.

내부에서는 보안에
힘쓰는 모양이구요.

꿈…
이었구나
역시.

글쎄요,
개인 병원에
입원한 채

아직까지
퇴원 수속을
밟지 않았다고만
알려져 있는데요.

잠이 안 와서
TV까지 켜놨었는데
그새 잠들었네.

아무튼, 그런 사람이
나한테 고백을 하다니.

사실
이해가 되지 않는다.

— — — …

— — — …

아무리
생각해봐도

아저씨가 나에게
반할 만한 일은
없었으니까.

대부분 자는 게
전부였으니…
아마 나랑 한 섹스…가
마음에 드셨던 걸까?

…아저씨한테
설렌 건 사실이지만,
그런 이유로 사귀는 건,

…싫은데.

이왕이면,
섹스가 아니어도
서로 좋아할 수 있는
관계가 좋아.

아저씨는 아무리 봐도
그런 타입은 아니지…

…아, 모르겠다.

왠지 오늘
머리도 지끈지끈하고
아픈 것 같아…

몸살이라도 났나?

어제 밤에서
떳시칸을해떳으니
당연하려나

…그래도 오늘이
주말이라 다행이다.

이대로 더 잘까…
아니면 영화라도…

뚝뚝

누구세요?

…그럼 결국 —

— —… …

옆집.

멈칫

아…

그럼 여기에 대한 이슈는 아직 정확한 건 없는 거군요?

끼익…

…예. 참 힘이 많은 회사니까요. 알 사람은 아는 이야기가 있죠.

아, 그 부분은 저희가 더 말할 수 없는 부분이기 때문에… 하하.

쯔억

예, 그렇습니다. 아무래도 발화가 조심스러울 수밖에 없네요.

콜록…

무슨 일… 이세요?

어제.

허리 아팠다며.

아…
그랬죠.

파스…

…자, 잘 붙일게요.

…감사합니다.

이거 하나 주러
오신 건가…?

……

앗

움찔

열 있다.

아, 네. 그런데
심하진 않아요.

기다려봐.

훽

네?

…아저씨?

다른 거 먹지 말고 이거나 비워.

먹은 후에 약 먹고.

간다.

잘 쉬고.

약 먹을 정도는 아니에요.

그럼 말아.

……

……

부스럭…

24

저,

아저씨.

꼬옥 ‥

아저씨는 점심 드셨어요?

...

만약에, 그, 아직이시면, 같이……

아, 물론!

물론 저, 강요는 아니구요, 그, 양이, 혼자 먹기엔 많은 것 같아서…

챙겨주신 거, 감사하기도 하고요.

웅얼

아! 거절하셔도 돼요!

수줍

그냥 편하게…

넌.

내가 무슨 짓을
할 줄 알고 집에 들여.

······예?

아니면.

하자는 건가?

화악

그…

사다주신 거,

같이 먹자구요….

그런 거 원하는 거 아니에요.

그냥, …말 그대로인데.

그냥 그게 다인데…

……

하아…….

냠...

냠...

냠..

어색하다….

냠..

그러고 보니

날 좋아한다는 사람한테
같이 밥 먹자는 얘기를
꺼내도 됐던 걸까…

홀쫙…!

하지만

왠지
그냥 보내기엔,

조금…

여의준아.

아, 네!

깜짝

다 먹고 뭐 하니.

어… 그냥 조금 더 자거나… 집에서 영화라도 볼까 했어요.

영화? 무슨 영화.

그건 아직 안 정했어요.

아저씨는요? 오늘 뭐 하세요?

글쎄.

너랑 영화나 볼까.

무슨 영화 볼까요?

아저씨, 좋아하는 장르 있으세요?

…로맨스?

!?

네????

왜, 왜요?

왜냐니.

안 어울려서요….

…그걸 딱히
좋아하는 게 아니라,
시끄러운 걸
안 좋아해서 그래.

아…,
이해했어요.

조용한 로맨스라,
옛날 영화 중에 그런 게
많은 것 같은데…

삑
삑

넌 뭐
좋아하는데.

저는…
액션이요.

아. 이 영화 괜찮으세요?
꽤 조용한 분위기 같은데.

액션 좋아하신다며.
너 보고 싶은 거 봐.

아, 아니에요.

저도 오늘은
조용한 게
보고 싶어요.

끄윽

영화가
시작되었다.

그 영화는 어이없을 정도로
많은 우연과 운명으로
스토리가 이어져가는 영화였다.

흐으…

아저씨가 보기에는
너무 얼토당토않지 않을까,
그런 생각을 했는데

아저씨는 의외로
조용히 영화를 감상했다.

이것저것
딴지 걸 줄
알았는데….

영화는 재미있었다.

쿡 쿡

우스운 장면에서
아저씨가 웃지 않아
나만 조용히 웃었고,

부인과 헤어질 순 없어.
하지만 나는 당신 또한
정말 사랑하오.

그게 도대체
무슨 소리예요?
이거 놔요!

주인공이 조연 캐릭터에게
불순한 고백을 받았을 때에도
나만 조용히 슬퍼했지만.

그러고 보니

그 후로 현우에게
연락 한 번 없었네.

학교에서도
날 완전히
무시했지.

속이 시원하면서도
쓰리다.

내 마음이
이렇게 아픈 건

그 애를
좋아했던 시간이
아까워서야.

여의준.

나 봐.

…네?

…왜, 왜요?
지금은 좀…

그런데…

보자고 했어.

의준아.

왜 또…

우는데.

훌쩍

훌쩍

말해봤자
한심하다고
생각하실 거예요.

그렇겠지.

…거봐요!

핵!

허엉

원래 그 나이대에는
한심한 거로
울고불고하잖아.

…아저씨도
그런 적 있으세요?

뭐예요….
그럼 그걸
어떻게 아시는데요.

쑤욱..

아니.

그냥…

주변에
그런 놈이
있었어서 알아.

그때마다 그분
위로해주셨어요?

아니.
들어주기만.

그리고 보니

이전부터 아저씨에게는
나도 모르게 어떤 말이든
털어놨던 것 같다.

어떤 일에도
무심해 보이는 얼굴이
오히려 편했던 걸까.

아마도 난,

위로를 듣고 싶은 것이 아니라
털어놓을 곳이 필요했으니까.

왜…
울었냐면요.

흘긋··

영화를
보다 보니까…

현우가
생각났어요.

삼 년을 좋아했는데,
제가 그만하자고
했거든요.

제가 끝낸 거니까
아무렇지 않아야 하는데…
저는 그게 잘 안 되더라구요.

39

그게 그냥 슬퍼서…
그래서 눈물이 났어요.

삼 년을 좋아했는데
아무것도 남지 않으니까

…허무해서요.

그래서 뭔가,
이제 연애할 생각이 없…

아차.

아저씨가 날
좋아한다고 했는데,
이런 말을 당사자
앞에서 하면…

좀,
그렇지 않나?

그래.

나도 삼 년 정도는
기다려보지 뭐.

어, 어차피 금방
질리실 거예요….

저, 엄청
재미없는 사람이라…

게다가, 지금은 정말
누군가를 좋아할 수 있을 것
같지가 않,

아서…

여의준이.

……

화들짝

ㄴ, 네!?

좋아해달라는 거 아냐.

당장 연애하자는 것도 아니고.

…그냥

내가 널 좋아한다고.

기억만 해두다가,

곁에 정 괜찮은 놈이 없으면 한 번쯤은 날 둬 보라는 얘기야.

…아,

…어,

그…,

一아,

참 얘기 길게 하게 만든다.

너 때문에 일 년치 수다 다 떨었어.

프핫…

아저씨 말수가 적은 건 알았지만, 그 정도예요?

…일 년?

아저씨도 농담 같은 걸 하시네요.

하하

하

왜. 거짓말 같니?

거짓말이잖아요….

푸흐흐

하…

하하

…응?

왜 다시

조용하시지….

…의준아.

ㄴ, 네…?

키스하고 싶은데.

안 되나.

그,
그게 무슨….

아, 안돼요….

화악

아저씨가 절
좋아한다는 것도
알고 있는데
키스까지 하면,

그건 너무,
나쁜 짓이잖아요.

시끄럽고.

！

싫으면 피해.

스윽

사락...

그렇게
말했으면서,

아저씨는 그저 내 귓불과
머리카락을 쓰다듬다가,

내가 못 이기는 척
눈을 감았을 때

으응...

그제서야 입을 맞췄다.

할짝

응…

쪽-읏

아…

아, 기분 좋아…

바들…

불룩…

바들

으응

의준아.

…네?

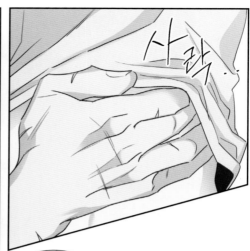

사랑.

하윽…!

아, 아저씨…

더 기분 좋게
해줄게.

어제처럼
좆도 빨아줄까, 응?

48

뭐가
아닌데.

어,
그, 그게….

…저,
가, 감기,
니까요…?

약 먹을 정돈
아니라며.

오,
옮길 수도 있…

그게 걱정됐으면
키스할 때 막았어야지.

……

……

싫으면 안 해.
변명 안 해도 돼.

그, 그게 아니라…

……

…사실은,

…아저씨랑 하는 거,
기분 좋지만…

모르겠어요,
해도 되는 건지.

정확한 답을
줄 수도 없는데,
날 좋아한다고
한 사람이랑
자는 거잖아요.

제가,
아저씨한테…

…나쁜 짓을
하는 것 같아요….

……

……

?

스윽

?

아, 아저씨…!
제 말 못 들으셨어요?

드, 들었는데
왜…

털썩

들었어.

앗…

간 보라고 한 건 나니까
뭐가 문제인지 모르겠고.

정 불편하다면,

이상한 데까지
들어오는 것 같아….

으윽, 흑,
기분 좋아요….

아저씨이…,
아…!

흐윽,

윽

하윽…

하아…!

하…

하아,

하으으….

슈윽..

아, 아저씨이…

힘들어요….

한 번만 더 해.

아, 으으… 어지러워요….

천천히 할 테니까

하다가 힘들면…

하웃…

끼익..

하아

으응

응...

끼익

하아…
씨팔.

끼익

너는, 내가…

하아

여기에 몇 번을
처박았는데
아직도 이렇게 좁아.

아아

응?
의준아.

하아

씻고 자.

그럼
그대로 있어.

?

끼익..

힘들어요….

어지럽다며.
혹시 모르니까
제대로 씻고 자.

못 움직일 것 같단
말이에요….

……

아.

고개 들어.

차가워요….

어쩔 수 없지.

64

무슨 생각을 하고 있는지
가늠조차 안 되는 얼굴에,

물어보지 않는 이상
자기 얘기는 하지 않는 사람.

어떤 일을 하는지,
어떤 사람인지
명확히 정의할 수 없어
무섭지만

첫인상은 분명 무섭고
제멋대로인 사람이었는데…
이럴 때는 평범하게 친절해.

아저씨.

뭐 하나만
물어봐도 돼요?

해 봐.

…저,
좋아하신다고
하셨잖아요.

그러니까
한 번쯤은

응.

제가,
아저씨한테

데이트…
해보자고 한다면,

…실례일까요?

알아보고 싶어.

Chapter

11

살면서 데이트라고
할 만한 걸 해본 적이 없었구나.

어색하고 떨려서 그런가,

한 시간이나
일찍 나와버렸어….

…옷…은
이 정도면 괜찮나?

나름 열심히
입고 나온 건데….

약속 시간
맞춰 오실 테니까
일단 내 음료라도
시켜둘까?

…데이트.

…네, 네에….
데…이트.

나가서 밥 먹고,
…음, 카페 가고.
그런 거요.

진짜 데이트처럼…

형도 보러 가야 하는데…
자꾸 멀다는 핑계로
못 가고 있네….

PM 18:25

그룹채팅

< 메시지

주연아 의준! 오늘도 쉬어?
할 거 없으면 놀자~

나

김태영 나와라 여의준~ ㅋㅋ

미안 오늘은 나
다른 일로 외출중ㅎㅎ

김태영 어? 너네 형 보러 가?

뭐가 이렇게
어수선해졌지…?

어…

저벅

저벅

저벅

문신한 사람에…
뒤따르는 덩치 큰
사람이 둘….

으아… 왠지
위험해 보인다

왫

눈 마주치지
말아야지.

편의점 일을 하다보니
생긴 촉

소근

소근

스으..

톡톡

김태형
어? 너네 형 보러 가?

나
아니, 형은 다음 주에
보러갈 것 같아.

톡

스

김태형
어? 너네 형 보러 가?

나
아니, 형은 다음 주에
보러갈

으..

안녕?

......?

…저…요?

그래, 너.

사, 사람 잘못 보신 것 같아요. 저는… 처음 뵙는데.

범건우란 사람. 알지?

예…?

아, 모르는 척할 생각은 마.

이 친구가 널 알더라고. 차 같이 탄 적 있지?

…아.
오해가 있나본데.

이런 경우가 흔치 않아서 궁금해서 물어보는 것…

슈
아
악

어차피 만나서 다 얘기할 거야.

…뿐인데?

콱

이 새끼야.
똑바로 대답 안 해?
이사님이 물어보시잖아!

……!

아, 아파….

허억
헉
헉

콰

앙

......

…이만 가자.

커피 마시러 왔다가
신고당하게 생겼잖아.

이쁜 얼굴
다 망가지겠다.
관둬.

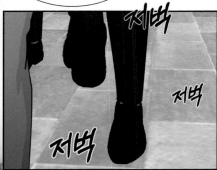

저벅

저벅

저벅

대체…

아…
괘, 괜찮아요.

괜찮으세요?
어떡해…

저희 쪽에 약이랑
반창고 있거든요.
잠시만요.

무슨 일이
일어난 거지,
방금….

하아….

이게 무슨 일이지….

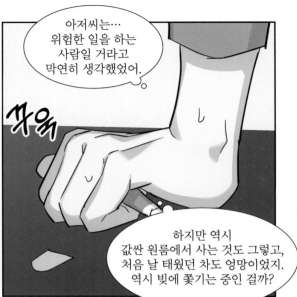

아저씨는… 위험한 일을 하는 사람일 거라고 막연히 생각했었어.

쭈욱

하지만 역시 값싼 원룸에서 사는 것도 그렇고, 처음 날 태웠던 차도 엉망이었지. 역시 빚에 쫓기는 중인 걸까?

…그래도 빚에 쫓기는 사람이라고 단정 지을 수도 없는 게,

아까 그 사람은 아저씨한테도 형님이라고 불렀었잖아.

도대체 무슨 상황이야?

전혀 모르겠어.

…무서워.

끼익.

!

…벌써
오신 건가?

30분이나
일찍 오셨네.

아저씨의
현재 상황이 어떻든,
어떤 사람이든

…그래.

나한테는
잘해준 사람이야.

이런 모호한 상황들로
섣불리 멀어지고 싶진 않아.

저벅

저벅

저벅

이제부터
알아가면 되잖아.

지금 당장은
신경 쓰지 말자.

아저씨.

일찍 오셨네요?

하 하

저도
조금 일찍 왔는데.
너무 빨리 온 것 같아요.

……

…앗. 우와.

평소랑
다른 느낌….
설마 나름
신경 쓰신 건가…?

여의준.

너 이마가 왜 그래.

아, …어,
나오다가 넘어져서
이마를 좀 다쳤어요.

신경
안 쓰셔도 돼요.

……?

어딜
보시는 거지…?

넘어졌다고?
어디 걷다가
부딪힌 게 아니라?

…?
네, 넘어졌어요….

어디 봐.

아니에요.
정말 괜찮아요.

그냥 조금 부어서
붙여둔 거니까….

…눈은.

아, 눈은… 괜찮아요.
안 다쳤어요. 다행히.

어지러운 건.

…아직은 조금….

......

제가 시간 맞춰서
맛집 예약해놨거든요.

헤헷

아, 저희 여기서
조금만 더 있다가
나가요.

일단 유명하다는 곳으로
골라봤어요.

괜찮겠죠?

......

?

......

......?

톡톡

톡

저…

아저씨?

아저…

어어.
상관없어.

으음…

…뭐야….

일이 바쁘신 건가?

…그럼 그냥
다른 날에 만났어도
됐을 텐데.

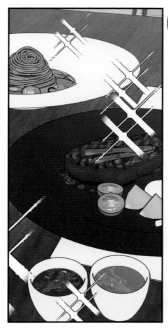

여기 유명한 맛집이래요.
마침 취소된 예약이 있다길래
운 좋게 잡았어요.

드셔보세요.

......

스읍..

......?

…넌 왜 안 먹어.

네? 아아,

그래도 더 어른이신데…
수저 드실 때까진
기다려야 될 것 같아서….

씨팔.
연장자 우대를
해주시겠다?

데이트 중

이건 좀
아닌가;

…어…,
먹을게요….

……

!

맛있다….

아저씨, 엄청 맛있지 않아요!?

역시 소문난 집은 이유가 있….

어어.

......

…진짜 맛있는 거 맞아요…?

입맛에 안 맞으시면 다른 거 시켜볼까요?

응? 아니 뭐,

먹을 만한데.

심드렁…

......

그냥 맛있다고 하면 되는 거 아냐?

나랑은
너무 다른 사람이라
그런가.

......

달그락..

달그락..

…어렵다…

늦은 시간에 만나는 만큼,
데이트를 알차게 보내려고
나름 계획도 짜봤었다.

음…
식사는 여기에 예약하고,
다음 동선은….

탈

탈

아, 식당 근처에
예쁜 산책로가
생겼나보네.

꽃도 있고…

여긴 꼭
가보고 싶은데.
아저씨는 이런 데
싫어하시려나?

괜찮은 데이트가
될지도 모른다고,

아저씨의 좋은 면을
더 발견하게 될지도
모른다고 생각했는데.

툭...

툭...

억지스러운
대화에,

대답은
퉁명스럽고….

좋은 데이트를 할
자신이 없어.

아저씨는 정말
나랑 데이트하고
싶었던 게 맞을까?

혹시
내가 억지로…

툭...

툭...

저벅

저벅

저벅

아. 담배
다 피우셨어요?

응.

아저씨.

왜.

혹시… 저랑 뭐,
하고 싶은 거
있으세요?

아무거나요.

…아무거나?

......

네! 아무거나…

음, 단 건
싫다고 하셨으니까
디저트 먹으러 가는 것도
별로일 것 같고….

끙질…

아저씨는
뭐가 좋으실까 해서요.

스

?

으..

이게 어떻게 된 건지
제대로 듣고 싶은데.

나담…

움칫

…아저씨?

나는.

…네?

아, 아까 넘어져서
그런 거라고…

어디서.

…어, 음,
집 근처에서요.
바닥에 넘어져서…

다른 곳은
안 다쳤고?

네. 없어요,
이마만 다쳤어요.

하하…

발을 헛디뎌서…
하하, 바보 같죠.

팔다리 못 가누는
세네 살 애새끼도
아니고,

하…하…
그렇게 말이에…

이렇게 심하게 넘어졌으면
팔이나 다리에도
상처가 있는 게 당연하잖아.

…아.

말해.

누가 그랬어.

어쩔 수 없이
오늘 있었던 일을
털어놓았을 때,

다행히도
아저씨는 별다른
반응이 없었다.

…그래.
누군지 알겠네.

정열

아는 사람이에요?
어떤 관계인지…
물어봐도 돼요?

나중에.

일단은
신경 쓰지 마.

…아, 네.

알겠어요….

껌적…

……

……

분위기…
이상해진 것 같아.

이럴까 봐
말하기 싫었는데.

어떡하지,
이만 가자고 하는 게
낫지 않을까?

의준아.

네?

이 주변에
좋은 산책로가
생겼다던데. 갈까.

!

…그런 데 가도
괜찮으세요?

안 괜찮을 게
뭐 있는데.

왠지 별 관심
없어 하실 것 같다고
생각했거든요.

아….

뭐,

네가 좋아할 것 같아서
찾아본 건데.

별로면…

아, 아니에요!

덥썩

가요!

화

앗

가보고 싶었어요!

졸
졸
졸...

......

저, 여기 꼭
와보고 싶었는데.

제가
좋아할 거라는 거
어떻게 아셨어요?

예쁘다.

너만큼
알기 쉬운 놈이
어딨다고.

그, 그런가…

하하..

…그러고 보니까요,

전 아저씨에
대해 아는 게
없는 것 같아요.

제대로 아는 건
이름뿐이고…

저는 취해서 이 소리 저 소리 다 했잖아요~

아저씨도 알려주시면 안 돼요?

…뭐가 궁금한데.

음, 어떤 일을 하시는지, 어디서 일을 하시는지…

형제나 남매는 있는지,

친한 친구는 어떤 사람인지.

…그런,

평범한 것들이요.

……

그건…

…나중에.

예!? 하지만
이 정도는…

굳이,

말해봤자
좋을 것도 없어.

아저씨에 대해
조금은 알 수 있을 줄
알았는데.

술렁

그렇게
못박아버리시니까,
…더 못 물어보겠어.

어? 저거
의준이 아냐?

?

어! 맞네!

앗…

야, 여의준~~!!

안녕하세요!

의준이 친구 이주연이에요.

얘는 김태영이구요.

아, 안녕하세요!

무섭게 생겼어!

…어어.

죄송한데, 잠시만요.

?

왜!

어?

소근

아니긴.
너도 호감이니까
데이트 중인 거 아냐?

그, 그렇긴…
한 것 같은데,

말하자면 길으…

소근

아저씨!

번쩍

깜짝

주, 주연아!?

저희랑
같이 가실래요?

의준이 얘기
많이 해드릴 수
있는데~

역시 이런 자리는
조금 불편하시려나요?

그렇지만 정말 궁금했거든요.
의준이가 다른 사람
얘기하는 건 오랜만이라서.

뭐…

나이 다 찬 놈
비위 맞추느라
너희가 고생이지.

뭐야,
마냥 무서워
보였는데,

나름….

저희야 뭐.
궁금한 게
많았으니까요.

앗.

절정..

여기 담배 피우면
안 되는 노래방인데요.

…아.

드르르르~♪

와!

의준이
노래 나온다!

벌떡!

큼흠.

쑥ㅅ...

아아.

그저 조용하던
나의 마음에
머물다 갔던 너

낯설기만 했던
그 시간들을
감당하는 건
참 버거웠었지

노래….

모든 게 서투르고 느린 나라서
눈치 없이 너를 놓잡았었지

하루하루 당연히
널 떠올리던 습관조차
버릴 방법을 몰랐어

모두 다 다 처음이었지
누군가의 말을
의미 있게 담아본 건

뒈지게
못하는구나….

처음으로...~!!

다 그래로~!

더 노력하셔야겠는데요~!?

짜란~!

YOUR SONG SCORE
67
다음번엔 조금 더
씩씩하게 불러볼까요?

괜찮아 여의준!!
점수가 인생의 전부는
아니잖아!!

아저씨는
안 부르세요?

덜썩

안 불러.

아쉽다….

할 말은 없지만….

머쓱…

헤헤….

……;

휙

?

나 담배
피우고 올게~

끼익

아, 응.
다녀와!

…나도
다녀올게.

슥

!

탁..

둘만 있는 거
괜찮으려나…?

주연이가
어색해하면 어떡하지.

…어.

라이터를
놓고 가셨네.

의준이
귀엽죠?

어리바리하지.

에이,
귀여우시면서~

여기요, 라이터.
가져셔도 돼요.

......

......

의준이
많이 좋아하세요?

후우

안 좋아했으면
이 자리에
앉아 있지도 않았어.

그럼~
의준이의 어디가
그렇게 좋으세요?

얼굴? 성격?
둘 다?

사내새끼
얼굴 뜯어먹고
살 것도 아니고,

성격도
지랄맞게 답답하고.

115

나도 저놈이
왜 좋은지 모르겠는데.

와~
정말요?

좋아는 하는데,
좋아하는 이유는 없다구요?

그럴 수가
있어요?

…그러게.

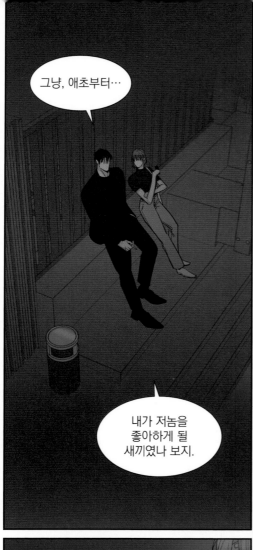

그냥, 애초부터…

내가 저놈을 좋아하게 될 새끼였나 보지.

두근

두근

두근

두근…

Chapter

12

…우아

아직 의준이랑 사귀는 건 아니라고 하셨죠?

어어.

이런 얘기를 진짜 말로 할 수 있는 사람이 있다니….

아무렇지 않아 보이네.

흐음…

솔직히 아저씨가 어떤 사람인지 잘 모르겠지만,

방금 그 대답 덕분에 조금 좋아졌어요.

그러니까, 하나만 알려드릴게요.

아저씨가 주변 사람한테 잘하는 사람이라면, 문제없을 거예요.

주변 사람들은
잘 챙기는 편이세요?

의준이는 자기한테
잘하는 것보다도
주변에게 하는 행동을 보고
저 사람 다정하구나,
깨닫는 편이거든요.

그리고, 의준이는
다정한 사람을
좋아하구요.

......

후우..

하아,

하아…

하아…

엿들으려고
했던 건 아닌데….

꼬옥

듣자마자
도망쳐버렸어….

왜 날
좋아하시는 건지…

하아

우오

여전히 이유는
모르겠지만

그냥,
애초부터…

내가 저놈을
좋아하게 될
새끼였나 보자.

그 말이 거짓이라고는 생각할 수 없었다.

적어도…
진심이시구나.

두근

두근

하지만 나는?

아저씨에 대해
아무것도 모르면서…

단순히 내가
좋다는 사람이라서,

고작 그런 이유들로
이렇게나 심장이 뛰는 건

두근

나에게
친절한 사람이라서.

너무

두근

두근

설부른 거 아닐까….

오늘…,
밥도 사주시고…
제 친구들 부탁도
들어주시고…

감사했어요.

힘드셨을 텐데

……

이만 들어가 볼게요.
아저씨도 피곤하실 텐데.
얼른 들어가서 주무세요.

왹

아저씨랑 계속 있으면
안 될 것 같아.

뻑

뻑

따

의식하고 나니까
얼굴도 제대로 못 보겠어….

여의준.

스윽..

!

…ㄴ, 네?

…마음에
안 들었어?

뭐…가요…?

데이트.

내가 원래
그런 건 잘 못해.

이럴까 봐
고민했던 건데.

···아무튼,
이건 변명이고.

스윽..

···한 번만
더 기회를 주면,
내가···

그, 그런 거
아니에요···.

······

그게 아니면,

···왜 나랑 눈을
안 마주치는데.

내가 뭐
잘못했니?

스윽

아뇨···
아니에요.

푸욱..

문질..

그냥···

왜인지
조금 서운했다.

한없이
잘해줄 것처럼 굴면서,
정작 자신에 대해
알려주진 않는다.

이렇게나 전부 숨길 거면서 무슨 수로 좋아하라는 걸까.

어떤 사람인지, 조금이라도 괜찮으니까

아저씨.

알려주셨으면 좋겠어.

저랑…

조금만 더… 같이 있다가 가시면 안 돼요?

……

…왜.

또 죽이나 먹고 가라고? ㅋ

예? 그, 그게 아ㄴ…

그것도 나쁘진 않지만.

일이 있어서 가봐야 돼.

…아, 일….

무, 무슨 일이요?

너무 늦은 시간 같은데….

스윽..

그냥 일.

먼저 자.

저벅

저벅

저벅

저벅

저벅

저벅

연락해놨니.

넵, 형님. 차채현 이사, 20분 내로 도착한다고 합니다.

그래?

아주 버선발로 뛰어오시는군.

후우..

그러게 말입니다. 어지간히 급했던 모양이네요.

짜악

슬슬 가자.

네. 알겠습니다.

저벅..

척

......

에휴, 씨팔.

이것도
때린 거라고
쓰러지네.

차 이사님.

지 좆대로
주먹 휘두르는
깡패 새끼 달고
다니시려면,

이것보단
쓸 만한 놈을
쓰셨어야지.

방금… 아저씨가 같이 있어 줬다면,

홧김에 고백해버렸을지도 몰라.

차라리 잘됐어. 천천히 생각해보자.

만지작.

아저씨가 어떤 사람인지 조금이라도 더 안 다음에,

내 마음을 정확히 알고 나서 고백하고 싶어.

그게 맞는 거고,

탁.

시간은 많잖아….

씨발…

그럼 어쩔까.

똑같이 할까?

데리고 다니는 애를 못쓰게 만들면 어떡해?

으,

으윽..

커억

헉…

헉…

흡…

비틀

비틀

봐, 차 이사.

덩치 산만 한 놈 데리고 다닐 필요가 없지.

훨씬 낫잖아.

이제 쓰러질 때까지 패다가 손모가지까지 똑같이 해주면 되나?

응?

그만.

그만하고.

다 나가 있어.

왜 그렇게 화가 났어?

형.

할 얘기 있어서 보자고 한 거 아냐. 본론이나 말해.

차 회장 얘기인가?

그 얘기부터 하자면,

아버지는 여전히 의식이 없어. 사실상 목숨만 붙어 있는 꼴이지.

기사는 어디서 샌 건지 결국 언론에서 떠들고 있고.

무슨 생각으로
그런 짓을….

…아무튼,

김 씨네
늙은이들이겠지.

지익

아버지가 불러서
이왕 서울까지
올라왔으면,

나 좀 제대로
도와야 하지 않겠어?

……

…건, 우야.

채현이… 좀…
부탁…한다.

차 회장은 네가 그런
헛된 꿈을 꾸고 있었을 줄은
몰랐을 텐데.

톡

조폭 회사 이름 벗고
제대로 된 회사
만들어보겠다는 게
그렇게 헛된 꿈이야?

그래. 듣기만 해도
한숨이 나온다.

뭘 어쩌려고.

충분히
가능한 일이지.

아버지가
사실상 사망 판정을 받은
이 상황에서

…형이 나를
도와준다면.

주도권 싸움의 승기가
어디로 기울지는…

형에게 달린 거,

형이
제일 잘 알잖아.

…형.

도와줄 거지?

부우우...

병원 들르고.
당분간 쉬어.

스윽

아닙니다. 형님.
괜찮습니다.

...두 번
말하게 하네.

...감사합니다.

들어가.

웍

...아.

형님.

내일 저녁에
김 이사 만나기로 한
약속 있으셨잖습니까.

모시러
오겠습니다.

…아냐, 됐어.

별일 없겠지.

들어가십시오.

저벅

저벅

저벅

저벅

……

스윽..

145

꿈뻑

꿈뻑

…잠이 안 와.

오늘 있었던 일들을
자꾸 곱씹게 돼….

의준아.

똑똑

벌떡!

!

…아저씨?

끼익....

응.

끼익.

일은 다
끝나셨어요?

어어.
늦었는데
왜 안 자.

아, 그냥…
잠이 안 와서요.
곧 잘 거예요.

내일도
일 쉬는 날인가?

아, 네!

그래서…
자고 일어나면 공부하러
학교 도서관에 가려구요.

몇 시.
데려다줄게.

아, 아니에요.
혼자 가도 괜찮아요.

…몇 시.

……

하, 한 시 정도….

데려다줄게.

…아, 알겠어요….

그, 그럼···
그렇게 알고
있을게요.

감사합니다.

꿈지락

······

빠안···

···?

···아−

스윽···

···졸리다.

하 하···

늦긴 많이 늦었죠.
얼른 들어가세요.

들어가도 돼?

…네?

아니면,
네가 와도 되고.

내 방 침대가
더 넓거든.

치, 침대 얘기는
왜 꺼내고 그러세요….

그래도…
궁금하다,
아저씨 방.

…가볼래요.

그럼,
놀러 가도 돼요…?

…뭐,
그것도 좋고.

…아저씨랑
꼭 해야 할 이야기도
있구요.

끼익...

후우.

!

…왜 서 있어?
좀 앉지.

앉을 데가
침대밖에 없어서….

거기 앉아.

……

쭈뼛...

쭈뼛...

제 방 분위기랑은
많이 다르네요….
이런 인테리어
좋아하세요?

딱히.
이전에 살던 놈
취향인가 보지.

아아….

엄청 깨끗하네…
사람이 살고 있는 집이
아니라고 해도 믿겠어.

나 봐.

…네?

사락..

지금은 어때.
맞은 곳.

…누르지 않으면
안 아파요.

그놈 이마를
깨놨어야 했는데.

**꼭 해야 할
얘기가 있어요.**

약은. 발랐고?

네. 괜찮아요,
걱정 안 하셔도 돼요.

그보단…

뜬금없긴 하지만…
분명히 말해둬야
할 것 같아서요.

…뭔데.
해 봐.

……

꼬옥 ..

…저는

직업도, 어떤 사람인지도
모르는 사람이랑
연애를 할 수는 없어요.

물론, 지, 직업이 없으면
없다고 말해주시면 괜찮아요!

짜억

하지만… 아저씨는
저한테 아무것도
알려주지 않으시잖아요.

그러니까…

그건
당연한 거잖아요.

…제대로
알려주세요,

뭐든 괜찮으니까.

……

제대로
얘기할 수 있을 때
말할게.

…전
이해가 안 돼요.

무슨 일을
하는 사람인지
말하는 게 그렇게
어려운 일이에요?

너한텐 어려워.

그렇다고
거짓말하기도 싫고.

하지만

말할 수 있을 때가 올 거고,
그렇게 만들 거야.

······

저한테,
왜…

스윽..

나 참.

애타는 쪽이 누군데. 왜 네가 울상이야.

......

문질..

......

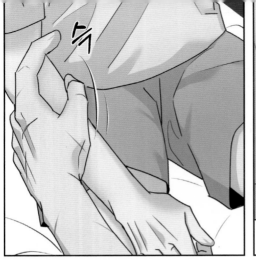
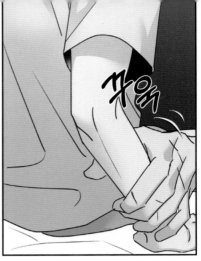

왜….

…그럴 기분 아니에요. 놔주세요….

…예쁘지를 말던가.

……

…갈래요.
비켜주세요….

…흠.

차 끊겼어.
너 집에 못 가.

......?

지하철도 끊기고
버스도 다 끊겼대.

......

바로 옆집이잖아요....

그랬나.

흡...

프하핫

아마 이 관계의
가장 큰 문제점은

자고 가,
의준아.

쪽

응?

아저씨가
제멋대로 굴어도

내 기분이 나쁘지 않다는 것에
있지 않을까.

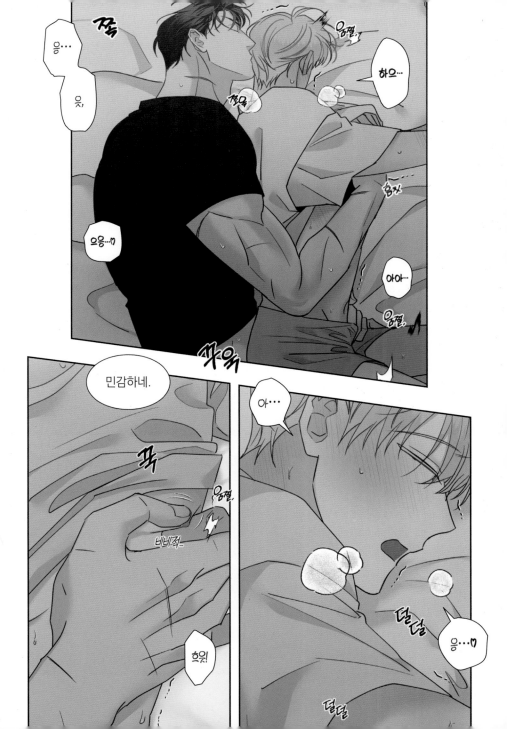

자, 잠깐…

왜.

뒤는 더
못… 해요….

아파….

……

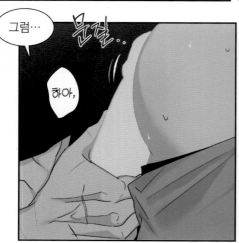

그럼…

하아,

으…

Chapter

13

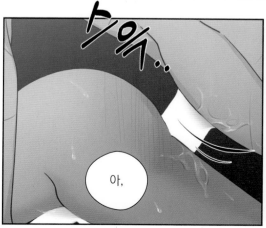

아, 아저씨가
나를…

때렸어…?

그런데, 왜…

왜 더 흥분되는 거야.

역시 난 변태인가 봐….

철썩

제대로
조여야지,
의준아.

아…

후읍

내가 실수로
구멍에 처박으면
어떡하려고, 응?

퍽

그, 그런
실수가,
어딨어요…!

퍼억

하아

후읍

글쎄.

네가 제대로 조여야
그럴 일이 없지.

퍽

퍽

하아…!

철퍽

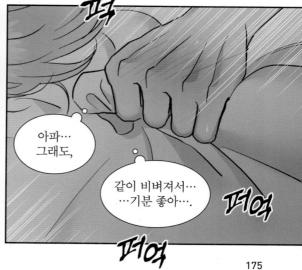

퍽

아파…
그래도,

같이 비벼져서…
…기분 좋아….

퍼억

퍼억

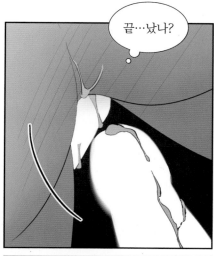

끝…났나?

?

조금 빨갛나.
뭐, 괜찮겠지.

…네?

한 번만
더 할게.

아, 안 돼요.

허, 허벅지…
쓸려서… 아파요….

그, 그만해
주세요….

……

대신…

아, 아니에요, 할… 수 있어요.

하하…

천천히 넣으면…

…아직 안 들어갈 것 같은데.

직접 넣어봐.

네 구멍에 직접 쑤셔 넣어 보라고.

…네…?

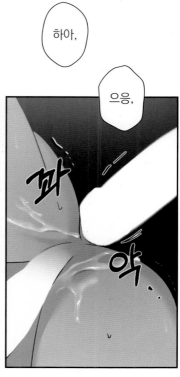

아파서 뒤로는
못 하겠다더니.

이렇게 좆 씹는 걸
좋아해서야….

아…!!

그거 아니,

가만 보면 너만큼
밝히는 놈도 없어.

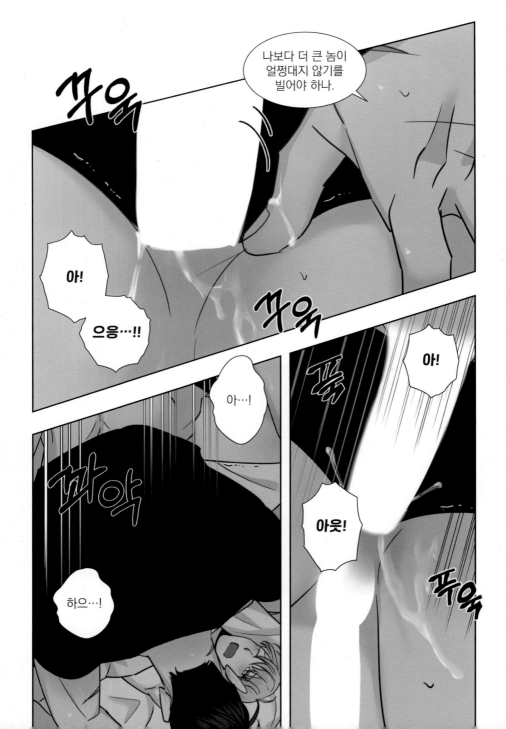

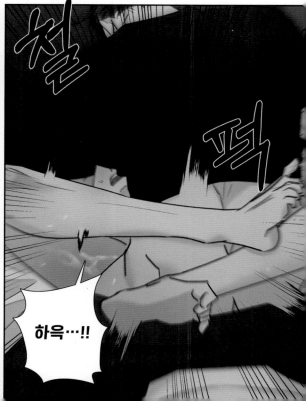

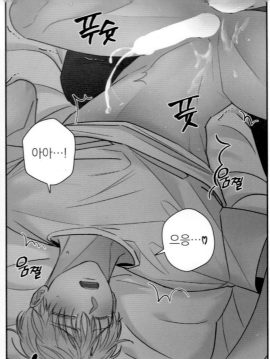

스윽

어,

퍼

휘청

억

아…!

아

퍼억

퍼억

퍼

하앗

아, 아저씨,

저, 바,
방금 갔…

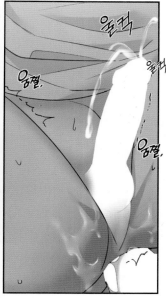

히익…!

아, 아저씨이…

왜

그만…

아….

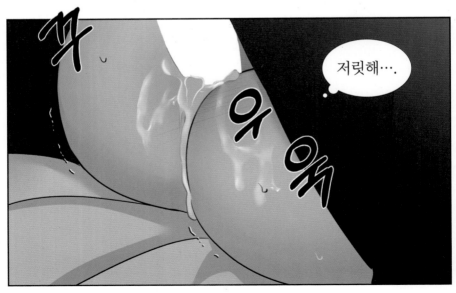

저릿해….

안쪽이 전부 짓눌리는 것 같아….

퍼억

으, 아,

으응,

아…!

퍼억

아저씨이, 좋아요….

좋아….

후우…,

너무,

후우…,

하…

하아…

하…

좋아요….

멈춰

하아…

하아,

하아,

…하아.

ㅅ이ㅏ

……?

…아저씨?

문질..

...웃,

강압적인 말투도,
몸에 밴 듯한 무심한 태도도
전부 밉지 않았다.

사실 나는

아저씨를
좋아하는 게
아닐까.

하지만,

무, 무슨
일이요?

그냥 일.

갑자기 사라져도
이상하지 않을
사람이라는 불안감과

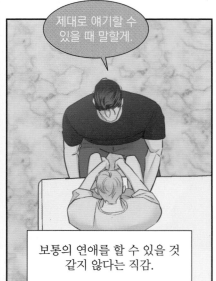

제대로 얘기할 수
있을 때 말할게.

보통의 연애를 할 수 있을 것
같지 않다는 직감.

…의준아.

왜 그래.
나 봐.

저는,

그러니
버티고 있는 것이다.

저는 절대로…

뚝..

아저씨한테
좋아한다고 하지
않을 거예요….

뚝..

한 걸음이라도 더 내딛으면
빠져버릴 것 같으니까.

......

여의준.

의준아.

...왜 울어, 울지 마.

억...,

......

흑...

201

또 울 일도
아닌데 울지.

네가 원하는 대로
하면 돼.

괜찮아, 의준아.

그러니까.

이것도,
거절하고 싶으면 해.

으웃…

아마

끼익

아…

철썩

철썩

끼익,

아저씨는 내가
무슨 생각을 하는지
다 알고 있는 게 아닐까.

덜덜

아아,

끼익,

응,

철썩

꼬옥..

덜덜

철썩

흐웃…

끼익,

철썩

파악

내가 아저씨를
좋아하고 싶어하고,

아…!

사실은

움찔!

하아∞

하..

두근

두근

두근

두근

두근

두근

이미
좋아하고 있다는 걸.

물 마셔.

시원해….

비벼대지 말고
마시라니까.

못 일어나겠어요…
조금 있다가 마실게요….

……

그럼
입만 벌려봐.

…네?

……!

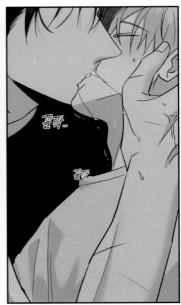

우응…

하아…

……

아저씨…

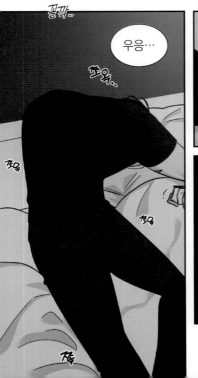

…더
주세요….

……

꿀떡

탁

끼익

꽈악..

응…

꼴깍...

꼴깍...

꼴깍...

쓸깍...

쓰윽..

쓰윽..

쓰윽..

쓰윽..

파앙

하아

하아…

하아

기분 좋아….

아..

의준아.

으윽..

…?

그냥 키스하자고
해도 되는데.

…그런 거
아니에요.

그냥 정말 물이
마시고 싶었어요.

…알았어.

끼익…

아무튼.
씻고 자.

…싫어요.

왜.

…그냥요.
알아서 할게요.

감기 걸려.

…안 걸려요.
신경 쓰지 마세요.

나 참.

화악

?

그럼 이불이라도
잘 덮고 자.

꼬옥..

두근..

두근..

…좋아하지
않을 거야.

두근..

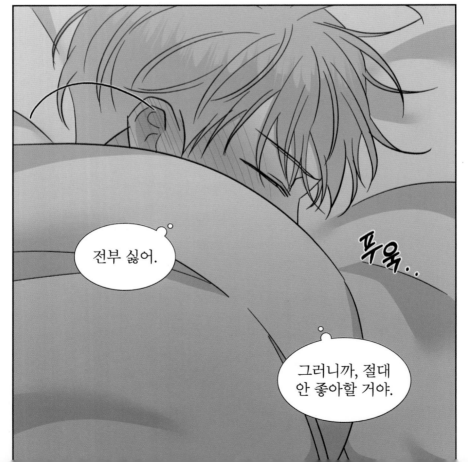

쟁~…

으움…

삐비쳐

……?

안 좋아할
거라고…!

Chapter

14

괜히 움직였다가
일어나시기라도
하면…

안 돼!
그건 너무
민망해!

그렇지만 이렇게
있는 것도 민망하긴
마찬가지고….

어떡하ㅈ…

스윽..

…!

쓰담

이,
일어나셨…어요?

깨 있었어.

……

왜, 왜
안 깨우셨어요….

그냥.

……

이, 이만 갈게요.
재워주셔서
감사합니다.

도서관 간다고 했지.
데려다줄게,
갈 때 불러.

아, 알겠어요….

끼익…

……

탁…

…이게…
뭐예요?

?

꽃.

그, 건,
아는데….

저번에
산책로 갔을 때
좋아하는 것 같길래.

내가
잘못 알았나?

아….

사박..

…아뇨,
좋…아해요.

가자.

......

톡

네….

?

그걸 왜 들고나와.
집에 뒀다가 버려.

아, 아니에요.
괜찮아요.

가져갈래요….

태워다 주셔서
감사합니다.

그것도 가져가?

네? 꽃이요?

그래. 귀찮게 굳이
그걸 들고 와서…

한

심…

…제, 제가
받은 건데요….

뭐라고 하지
마세요….

…아무튼.
집 가기 전에
연락해.

왜

어… 그,

부웅——

괜찮은데….

저벅

저벅

꼬옥

꽃…

졸업식 때도
못 받아봤는데….

부모님이 사고로
돌아가신 후였다.

어, 의준아.
뭐라고 했…
아, 네 실장님,
잠시만요!

날짜도 모를 정도로
매일 바쁜 형에게
졸업식에 와달라는 말은
꺼낼 수 없었다.

아냐 형, 일해.
나중에 말해줄게.

그 사실을 안 주연이가
자기가 받은 꽃다발 중 하나를
내게 주긴 했었지만,

사진에 이쁘게 나오려면
같이 들어줘야 돼!

그래도,

…그거랑은
다른 기분이야.

…너무 좋으면

오히려
울고 싶어지는 걸까.

아저씨는 끝나면
부르라고 하셨지만,

역시 그냥 알아서 가자.
막상 연락받으면…

귀찮으실 수도
있고….

벌컥

뭐야.

와악!!!!

…뭘 그렇게 놀라.

기, 기다리고 계셨어요!?

별겅

별겅

제가 이 시간에 집에 갈 걸,

어, 어떻게 알고….

별겅

그냥 중간에 저녁이라도 먹일까 하고 와본 건데.

집에 가려고?

아…, 네에….

…공부를 여섯 시간밖에 안 해?

하, 할 건 다 했어요…!!

그러셨겠지.

가자. 근처에 주차해놨어.

저녁. 뭐 먹을래.

……

이렇게 얼렁뚱땅 같이 있게 되면…

또 바보처럼 휩쓸리기만 할 거야.

그, 사실은…

오늘은 그냥 집에서 간단하게 먹을까 했어요….

그래? 그럼 내가 해줄게.

……

…네?

해준다고.

……???
뭐…를요…?

…밥을요???

저벅.

저벅.

이렇게 돼서야…
빠져나갈 구멍도
없잖아….

하아..

같이 있으면 또
속수무책일 텐데…

어떻게 해야…

콩

읍

…?
왜 멈추신 거지…?

왔어?

흠빗

…어라.

이 목소리는….

꼬옥..

......

이렇게 직접
찾아오긴 싫었는데.

전화를
또 안 받길래.

까딱

무슨 얘길 하려고.

내가 형이랑 할 말 없다고 못 볼 사이야?

물론 해야 할 이야기도 있긴 하지만.

회사 일.

제대로 대답해줬으면 좋겠는데.

형…?
회사…?

저벅

두근

뭐야, 둘이
가까운 사이였던
건가…?

두근

내 편에
설 거지?

니 편 내 편 씨팔,
유치하게.

형.

심각한
문제인 거 알잖…

!

저벅..

235

혁…….

덜덜

쭈욱——

괜찮아?

…네?

다치게 한 거.
그러려던 건
아니야.

데리고 다니는 놈들
관리를 잘했어야 했는데,
그게 안 됐네.

미안해.
내 실수야.

……

그, 그럼…
그때 사과하셨어야죠.
…왜, 지금 와서…

…그래. 네 말이 맞아.
변명할 여지는 없지만,

그래도
미안해.

……

스윽..

나는 이 사람을
잘 모르지만

터무니없게도, 그 사과가
거짓처럼 느껴지진 않았다.

씨팔.
너희 뭐 하니.

드라마 찍어?

그럼 같이
술 마시러 갈까?
저녁도 먹을 겸.

사과하는 뜻으로
내가 살게.

아니.

좋아요.

뭐?

네가 왜 가.

가, 가고 싶어요….

238

안 돼요…?

……

여전히
안심할 수는
없지만…

아주
나쁜 사람 같지는
않아….

저 꽃이랑 가방 좀
집에 두고 올게요.

후다닥

그럼 난
내려가 있을게.

네!

여의준.

잠깐
얘기 좀 하자.

팍

성큼

네?

성큼

마, 말을 왜 그렇게 하세요….

……

그래. 미안. 헛나왔어.

……

…저는, 같이 가고 싶어요.

…조금이라도 더 알 수 있을 것 같아서요.

아저씨에
대해서….

…그건 조금만
더 기다려달라고
했잖

아저씨가
어떤 사람이든,

생각보다 저한텐
아무렇지 않을 수도
있잖아요.

……

밑에 계신 분
기다리시겠어요.

어, 얼른
다녀올게요….

잘칵..

……

말 한마디 기다리지 못하는
내가 이상한 걸까?

아저씨에 대해
물어볼 수 있는 좋은
기회일 수도 있어.

이런 기회가 또 언제
올지도 모르고...

하지만 막연하게
기다리기만 하는 건 싫다.

아저씨에 대해 알고 싶은
내 마음이 이기적인 거라면

탁...

이번 한 번만은
그냥 이기적이고 싶어.

꿀꺽..

차채현, 서른둘.

그렇게 자신을 소개한
그 사람은 생각보다
사교적이었고, 독특했다.

형이라고
불러도 되는데.

독특…?

예를 들자면,

내가 그래도
저 아저씨만큼은
아니잖아~

빠, 빨간
불이에요!!

…나 죽을 뻔했네?

조심하세요….

그러니까…
꽤 허당 같은….

탈썩..

털석

하하, 괜찮아.
익숙해.

하나같이 내 예상을
벗어난 성격과 말투에

이, 익숙하시다고요?
이런 게요?

생각보다…

즐거웠던 것 같다.

……

......

쮸웍

진짜 꽉 막혔다니까.
그러니까 형이 아저씨
소리를 듣는 거라구.

그딴 말도
어려 보이진 않아.

스윽一

아무튼.

나는 이런 일
하는 사람이야.

...!!
명함이다...!

아, 감사합니다....

어라,

CIK그룹의...
전무이사...?

서른둘이면
이사가 되기엔 너무
어린 나이 아닌가…?

게다가 전무면
엄청 높은 거 아냐?

흘긋…

그리고~

이건
이 아저씨 거~

!

샤악

?

그걸 네가 왜
가지고 있어.

형은 명함
안 가지고 다니잖아.

어…
와아….

…저,

흘긋..

봐도 돼요…?

······

쥬욱

마음대로 해.

범건우.

CIK그룹, 이사 직급.

높다….

사실은 이 회사에 대해
알고 있다.

모르는 게 이상할 정도로
제법 큰 기업, CIK그룹.

요즘 들어 다시 떠도는
이야기들을 듣다 보면

외적으로는 건실한
이미지를 표방하지만

사랑의 기부금
전달 금액 1000만원

요즘 조폭들은
대부분 '기업화'가 되어있다.

조폭들은 다양한 방법으로
우리 주변에 침투해 있고,
선량한 사람들의 주머니를 털어간다.

아무래도 범죄가
조심스러울 수 밖에 없네요.

소위 인터넷 찌라시에서부터
전문 시사 채널까지.

지난 게시글

허위사실 유포 등 신고로 삭제된 게시물입니다.

허위사실 유포 등 신고로 삭제된 게시물입니다.

허위사실 유포 등 신고로 삭제된 게시물입니다.

허위사실 유포 등 신고로 삭제된 게시물입니다.

허위사실 유포 등 신고로 삭제된 게시물입니다.

알 사람은 아는
이야기가 있죠.

조직 폭력배들이 운영한다는
의혹을 가장 많이 받고 있는
기업이었다.

물론 나를 포함한 대부분의 사람들이 그저 그런 악성 루머라고 생각했거나, 신경 쓰지 않았지만

ㅅ읍..

짧은 시간이었지만 아저씨와 지내본 입장에서, 그게…

터무니없는 소리는 아닐 것 같다는 생각이 들어.

탁..

그런데 왜일까, 생각보다…

아무렇지도 않은걸.

내가 너무 안일한 거겠지.

이런 기업이 정당한 방법으로 사업을 키우진 않았을 텐데….

하지만…

사실 추측일 뿐이지 정확히 밝혀진 것도 없고, 일단은 공인된 회사잖아.

왜 이런 것까지 숨겼을까? 이해가 잘 안 돼….

…여의준이.

…네?

고기 쌓인다. 얼른 먹어.

수북

아, 헉! 네…!

우물

허겁 지겁

우물

！

콜록

콜록

콜록

으악… 너무
빨리 먹었나 봐.

급하게 먹으라고
한 건 아닌데.

콜록..

자.

아, 가,
감사합니다…

꿀꺽

꿀꺽

드륵

휴우…

끌록

스윽…

이거.

아, 감사합니다.
티슈 찾아도 없던데….

없길래 달라고 했어.
가져다줄 거야.

빠안~…

아 그랬구나….

애인한테도
안 하던 짓을 하네….

콜록

콜록

콜록
콜록!!!

되게 새롭다.
뭐, 심경의 변화라도
있어?

주변 사람들한테
잘해보자는 그런 거?

지랄.
이 정도는 했어.

그건 형이 종종하는
착각이고

하 하

아무튼 신기하네~
한참 어려서 그런가~.

그러고 보니
의준이는
여자 친구 있어?

왠지 있을 것
같은데~

아, 설마 아까 들고 있던 꽃다발도 여자 친구한테 받은 건가?

멈칫

아… 그, 네? 아, 꼬, 꽃다발이요?

어…

어, 어떻게 된 거냐면요… 그, 게….

…아!

여자 친구는 아니구요, 그냥 친구한테 주려고 했는데…

내가 줬어.

횡설

수설

뭐였더라, 어, 제가 오늘…

이 꽃다발을…

PART OF WORK

MENU

그야 내가 좋

아악!!!

화들짝

…응?

형이 왜?

• • •?

제, 제가, 어, 부, 부탁드린거예요! 아저씨한테!

……?

?

여자친구는없구요…! 그냥갑자기친구한테 꽃다발을주고싶어서…!

그런데오늘 그친구를못보는바람에 결국그냥가져온거예요!!!!

그래…?

특이하네…. 형이 심부름을 다 하고….

우다다다다

?

꿀꺽

아, 형, 좋… 뭐라고 하지 않았어?

…좆같지만 사다 줬다고.

끼익—

비틀

…저, 화장실 좀 다녀올게요.

그래 다녀와~

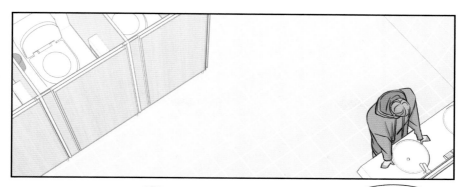

휴우….

나, 거짓말
못하는구나….

표정 관리가
안 될 것 같아서
결국 나와버렸어….

?

여의준. 뭐야.

끼익.

261

…네?

어지러워 보이길래.

토할 것 같아? 집에 갈까?

아… 아니에요….

그냥 안 하던 거짓말을 하려다 보니 머리가 핑핑 돌아서…

거짓말을 뭐 하려 해.

그냥 저놈이 날 좋아해서 줬다고 하면 되잖아.

저 때문에 커밍아웃하실 필요는 없어요….

사실 아저씨는 게이도 아니잖아요.

커밍아웃 같은 거, 섣불리 해서 좋을 것도 없고…

커밍아웃이 뭔데.

……

황당..

네에…?

그건 그러니까…

그리고.

내가 널 좋아하는데 게이 새끼지 뭐야.

아, 아무튼…

아저씨.

회사에서 일하신다고 왜 말 안하셨어요?

그 정도는 말해주셔도 괜찮잖아요.

……

멀쩡한 기업이라고 생각 안 할 텐데.

흠칫

저 녀석이나 나나, 평범한 회사원으로 보이지 않는다는 것 정도는 알아.

사락..

너는 직접 겪었으니 더 잘 알 테고.

그, 그런 걸 저한테 말해주셔도 돼요?

제가 어디다 잘못 말하기라도 하면….

너 하나 진실을 알았다고 해도

네가 할 수 있는 건 없어, 의준아.

그,

그런 게 아니에요….

그런 일을 하는
사람이라고 해서…

제가, 뭘 잘 몰라서
그렇겠지만….

짜욱

말도 조심할 거고,
일단은 괜찮았다는
말을 하고 싶었어요….

갑자기 미워진다거나
하지 않으니까….

와닿지 않는 거겠지.

괜찮았다고 해서 더 해줄 수 있는 말은 없어.

일이 정리가 된 후에 말해주고 싶었고, 여전히 같은 생각이야.

너한테는 뭐든 사실대로 답은 해주겠지만…

지잉—

지잉—

?

……

지잉

미친소
010-5448-XXXX

지잉

아무튼. 어지러운 게 아니라면 됐어.

먼저 나가 있을게.

뿍

…아,

네….

철썩!

아악!

새끼야.
내가 문신 지우라고 했지.
깡패라고 광고할 일 있어?

아, 아퍼,
아퍼.

갑자기 왜 사람을
후려치고 그래?

얼얼...

지랄.
한 대 스친 것
가지고.

그리고 전화 좀
그만해 새끼야.

후우

하루 이틀 안 받았다고
온갖 지랄을 다 떨어요.

...그건
받아줬어야지.

누워 있는
회장님 목숨이 달린
문제였는데.

나 참. 그거 좀
뒈지면 어떻다고.

하하.

너한테 해준 것도 없는
노인네를 참 잘도 따른다.

해준 게 왜 없어.
많이 받았잖아.

형도,

나도.

……

아무튼…
이러고 있으니까
옛날 생각나네.

픽…

형이랑 오랜만에
술 마시니까 좋다.

그래…

그러네.

저런 표정…

처음에 봤을 때
놀랐는데….

아. 설마…
그때도 저분이랑
통화하셨던 건가?

엄청
친해 보여.

아니지, 친한 사람이 저 사람 한 명밖에 없진 않을 거 아냐.

다른 사람일 수도 있고…

울컥…

울컥…

음… 아닌가, 왠지 곁에 사람을 많이 안 두는 타입 같기도….

……

다 모를 일이네.

나는 정말

아저씨에 대해 아는 게 아무것도 없구나.

알면 알수록 가까워질 거라고 생각했는데

오히려 멀어진 것 같은 기분은 왜일까.

크아아-!!!!!!

탈! 탈!

......

짝 짝 짝

와아- 멋져라-, 10분 만에 혼자 두 병을 해치우다니.

안치했는데요?

이놈 이거 단단히 취했네.

톡

......

아이고?

팍

쨍그랑-

......

어… 이런, 이상하다, 안 취했는데….

챙챙챡

쨍그랑-!

챙챡!

탁!

아앗. 내 숟가락…

냅둬. 다시 달라고 하게.

많이 취했다.
너 내일 학교
가야 되지 않니.

감사합니다~

내일이니까
괜찮아요….

저 술 금방 깨는 거
아시잖아요.

지잉~

지잉~

…?

M

전화…

아까부터
울리던 것 같은데…
받아주세요….

안 받아도 돼.
신경 쓰지 마.

너 집에 가야겠다.
갈 준비하고 있어.

현아. 너는
계산해 두고.

…현이?

괜찮아?

아, 네에….

내일 학교
가야 된다며.
일찍 들어가는 게
낫겠네.

이만 가자.
계산하고 올게.

……

오늘…

중얼.

?

아저씨에 대해서…

물어보고 싶은 게 많았는데….

끼익

계산했으면 나가자.

통화 끝났어?

어. 나도 어디 가봐야 돼.

여의준. 일어나. 집에 데려다줄게.

아….

……

……

형 먼저 가.

뭐?

의준이는

나랑 더 있다 갈 거야.

위험한
편의점

초판 1쇄 인쇄 2023년 7월 18일
초판 1쇄 발행 2023년 7월 31일

글·그림 945
펴낸이 정은선

책임편집 이은지
본문 디자인 (주)디자인프린웍스
표지 디자인 URO DESIGN

펴낸곳 (주)오렌지디
출판등록 제2020-000013호
주소 서울특별시 강남구 선릉로 428
전화 02-6196-0380 **팩스** 02-6499-0323

ISBN 979-11-7095-003-5 07810
　　　　 979-11-92674-04-9 (세트)

www.oranged.co.kr